Le bateau rouge
d'Oscar

Texte de Jo Hoestlandt
Illustrations d'Amandine Piu

Père Castor ❋ Flammarion

Oscar a reçu un bateau rouge pour son anniversaire.
Il l'aime beaucoup et l'emporte partout.
Il va le faire flotter sur le bassin du jardin public.
Il y a d'autres bateaux, bien sûr, mais le sien est le plus beau.

Oscar aime parler avec son bateau. Il pense que celui-ci l'écoute et le comprend.
– J'aimerais bien partir loin avec toi, lui dit-il. Croiser les grands bateaux blancs
qui voguent sur l'océan, rencontrer une baleine, une sirène... combattre les requins,
les pirates... voir l'île au Trésor...

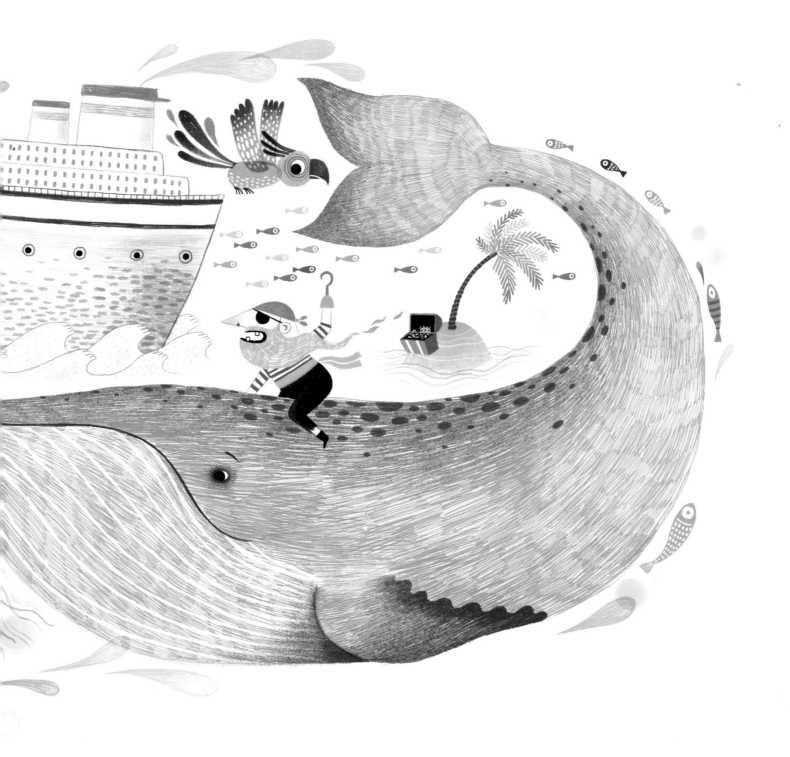

Son bateau rouge l'écoute sagement.

– Mais on est trop petits pour partir à l'aventure... soupire Oscar.
Il faut attendre d'avoir grandi...

Alors, en attendant, Oscar agite fortement les mains dans l'eau du petit bassin,
pour les entraîner à la tempête, lui et son bateau.

L'été, toute la famille d'Oscar part à la mer.
Dès l'arrivée, chacun court vers la plage. Oscar aussi, son bateau sous le bras.
Il court vite comme le vent !

La mer s'étend devant eux, à l'infini, ou presque.

Au bout, elle touche le ciel, c'est l'horizon.

Arthur, le grand frère d'Oscar, plonge dans l'eau. Il sait nager, lui.

Pas Oscar. Ni Ambre, sa petite sœur.

Alors ils n'ont pas le droit de s'éloigner. Ils pourraient se faire renverser
par une vague, se noyer.

Le bateau rouge, lui, sait voguer.
Il aimerait sûrement aller plus loin. Mais Oscar le retient
même si cela ne lui plaît pas : c'est comme ça, il n'y a pas à discuter !
Autour d'eux, Oscar ne voit ni baleine ni pirate ni sirène ni requin,
qui doivent se trouver plus au large.
Il est un peu déçu, évidemment. Son bateau rouge aussi.

Les jours passent, tranquillement.
Arthur plonge, Ambre fait de beaux gâteaux de sable,
Oscar et son bateau sont inséparables.
Une fois, une grosse vague a failli les emporter !
Heureusement, le papa d'Oscar l'a vu, il a nagé, les a rattrapés !

Depuis, Oscar fait encore plus attention et il attache son jouet à une ficelle.
Pour que son bateau rouge ne se vexe pas d'être tenu au bout d'une laisse
comme un petit chien, Oscar lui suggère parfois :
– Aujourd'hui, c'est toi qui me tiens au bout de la ficelle
pour que je ne m'enfuie pas, d'accord ?

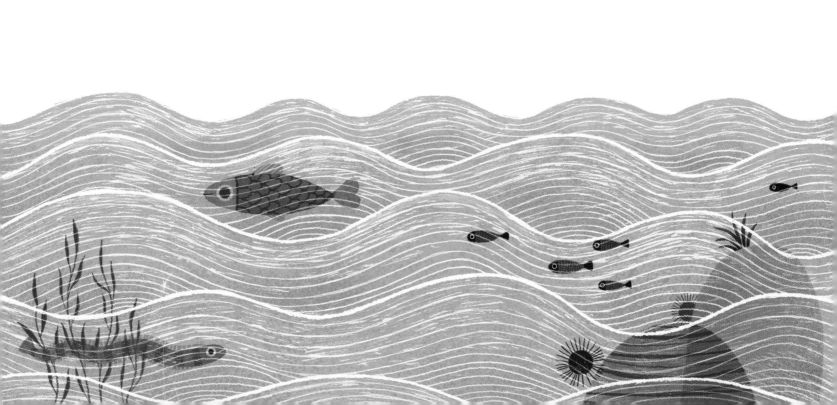

Et ce jour-là, il fait semblant de s'enfuir, et son bateau de le retenir.
Ils jouent comme deux amis.

La fin des vacances approche.

– Vous avez bien grandi, les enfants! s'exclame la maman.

Alors Oscar pense que l'an prochain, il apprendra à nager comme Arthur,
et pourra s'en aller plus loin vivre de grandes aventures.

– Vous avez tous très bonne mine, pris des couleurs, aussi! dit le papa.

Sauf ton petit bateau, Oscar... constate-t-il avec regret.

Et il ajoute :

– Je me demande si cela vaut la peine de le rapporter à la maison...

– Bien sûr que si ! s'exclame Oscar, indigné. C'est MON bateau ! et je l'adore !
Je le garderai toujours !

– Bon, d'accord ! fait le papa.

La veille du départ, Oscar n'arrive pas à s'endormir. À la lueur de la lune,
son bateau n'est plus qu'une ombre posée près de lui.
– Et toi, lui chuchote-t-il, tu as envie de rentrer à la maison ?
Il n'entend pas la réponse. C'est peut-être oui, c'est peut-être non.

Il continue :
– Un bateau, ça ne grandit pas comme un petit garçon, n'est-ce pas ?
À la place de grandir, ça vieillit, de plus en plus...

Son bateau ne répond rien à cela. Sans doute parce qu'il n'y a rien à en dire...
Oscar pense encore : « Moi, je vais grandir, mais pas mon petit bateau... Lui,
il vieillit, s'affaiblit... C'est maintenant qu'il peut partir... Après, ce sera trop tard... »

Le lendemain, au moment d'aller prendre un dernier bain, Arthur et Ambre
s'amusent à ramasser, en souvenir, les plus beaux coquillages de la plage.
Oscar, lui, a autre chose à faire.
Il entre dans l'eau avec son bateau. Il avance, encore, plus loin que d'habitude.
Il se retourne vers son papa qui le laisse faire et lui sourit.
Oscar fait encore deux pas, s'arrête. Lui, il ne peut pas aller plus loin.
Mais son bateau, si.

Alors il le pose doucement sur l'eau, le retient encore un instant,
parce que c'est dur de lâcher ce qu'on aime...
Et puis, il se décide, le détache, le libère.

Le bateau ne part pas tout de suite.
D'abord, il tourne comme une toupie, fait un peu le fou, comme s'il ne savait pas quoi faire de sa liberté ! Pour lui aussi, peut-être, c'est dur de partir...

Mais tout à coup, il s'en va, droit devant! Il file vers l'horizon, là où, sans doute,
chantent les baleines et les sirènes, brillent des trésors...
« À bientôt! » veut lui crier Oscar.
Mais les mots restent coincés quelque part entre sa gorge et son cœur.
Alors, pour dire au revoir à son bateau, il agite les bras très haut,
comme si c'étaient de grandes ailes d'oiseau.